Auf dem Weg zur Krippe

Liebe Leserin, lieber Leser,

sich tatsächlich auf den Weg zu machen ist einerseits verheißungsvoll. Verlockend sind all die neuen Eindrücke und Erfahrungen. Andererseits scheue ich mich vor dem Packen. Vor einem Jahr habe ich mich auf den Pilgerweg nach Santiago de Compostela gemacht. Den Rucksack zu packen ist schwierig, denn es ist klar, dass ich alles über 200 Kilometer auf dem Rücken schleppen muss. Da kommt es dann auf jedes Gramm und jede Kleinigkeit an. Was brauche ich unbedingt und wo verleitet mich die Gewohnheit – was ist überflüssig?
So ist es täglich ein neuer Aufbruch… Ich habe mich auf den Weg gemacht und setze einen Fuß nach dem anderen. Das Frühstück kommt nach ca. 15 Kilometern – nach weiteren 5 bis 10 Kilometern braucht mein Rücken eine Entlastung und ich muss eine Pause einlegen, bis ich dann am Nachmittag in der nächsten Herberge ankomme.
Belohnt werde ich mit wirklich tollen Ausblicken und Eindrücken. Am frühen Morgen liegt ein feiner Nebel in der Luft über dem Meer und den Wegen. Sie ist kühl und angenehm, motiviert zum Laufen. Mittags wird es dann fast unangenehm warm. Die Menschen unterwegs grüßen sehr freundlich mit einem „Bon Camino“ und freuen sich sehr über die Pilger.
Sie halten aber ein Buch über die Adventszeit in den Händen. Das hat ja so gar nichts mit dem Pilgern zu tun – oder gerade doch? Das Fest ist an sich von Traditionen geprägt und viele Menschen haben genaue Vorstellungen, wie es ablaufen soll. Das ist hilfreich. Zugleich brauchen

wir wie beim Pilgern auf unserem Weg Mut und Offenheit für Unbekanntes. Wir können vielleicht im Nebel, vielleicht im Dunkel immer wieder etwas Neues entdecken – etwas, das uns bisher noch nicht aufgefallen ist.
Andere Menschen möchten sich nicht mehr auf den Adventsweg machen. Manchmal ist der Rucksack zu schwer geworden, jener im übertragenen Sinne: Erinnerungen an früher, an die Kindheit, die Familie, an Verstorbene… Wer im Rucksack zu viele Weihnachtstraditionen, zu viele feste Erwartungen hat, dem kann auf halber Strecke die „Luft" ausgehen und er ist übermüdet von Weihnachten, bevor das Fest kommt.
Was nehmen Sie mit auf Ihre Adventswanderung in diesem Jahr? Beim Pilgern habe ich gelernt, dass eine gute Landkarte und ein waches Auge für Wegmarkierungen wesentlich sind. Der Rucksack muss alles Wichtige enthalten und hat keinen Platz für Überflüssiges.

Nun steht vor uns die Adventszeit. Ich kann Sie nur einladen, sich auf den Weg zu machen und genau zu schauen, was sie mitnehmen wollen. Wir geben Ihnen hier Wegmarken mit, die Ihnen die Orientierung erleichtern können.

Ich wünsche Ihnen einen erfahrungsreichen und freudigen Weg auf Weihnachten hin!

P. Rainer Schneiders

1

Du darfst springen und tanzen, Gotteskind

Was für ein Wunder! Was für ein Abbild der Liebe! Ein Mensch, neu geboren, zart und klein und doch schon vollkommen. Von Gott geliebt. Was für eine Würde. Von Anfang an.

Sie hat Wangen wie verblassendes Abendrot. Die bläulichen Augenlider flattern wie Schmetterlinge. Das Näschen ist wie aus rosa Porzellan, die winzigen Ohrmuscheln wie aus Wachs. Ihre Lippen gleichen einer kleinen Rosenknospe am Morgen. Die makellosen Händchen scheinen aus Marmor gemeißelt. Sie ist ein Wunder der Schöpfung: Juliane, meine erste Enkelin!

Als ich sie das erste Mal im Arm hielt, hatte ich kein anderes Wort für sie als „Wunder“. Ein kleiner Mensch, wenige Tage alt und so vollkommen. Ihr Herzchen pocht in der kleinen Brust wie eine Taube in der Hand. Ein kleines menschliches Wesen, durchdacht bis in die kleinste Zelle, stark und ohnmächtig zugleich. Ihr Leben hängt ab von der Liebe.

Bald macht sie die riesigen Augen auf und blickt umher: erstaunt, grenzenloses Vertrauen. Keine Angst, kein Zweifel, dass die Geborgenheit und Sicherheit des Augenblicks schwinden könnten.

Juliane, neu ist die Welt für dich, neu ist alles, was nicht im Mutterschoß war. Du bist ein Kind der Liebe; der Liebe deiner Eltern und der Liebe Gottes. Du bist kein Zufall, keine Ansammlung von Materie, die sich irgendwie ins Leben geschmuggelt hat. Du bist der Wunsch Gottes. Gott hat dich in dieses Leben gerufen, weil er dich liebt, noch mehr als deine Eltern dich lieben. Gott hat in jede deiner Zellen ein Universum an Leben und Möglichkeiten gehaucht. Du bist das große Wunder, in das alles hineingelegt ist, was es über Gott zu sagen gibt. Du bist sein Abbild. Von Anfang an. Du brauchst nur zu erwachen und das Leben zu umarmen.

Juliane, ich wünsche dir, dass du das Leben lebst mit der Freude eines Welpen und mit der Würde eines Gotteskindes. Du darfst springen und tanzen, lachen und genießen. Diese Welt liegt dir zu Füßen. Ergreife sie!

Doch Vorsicht. Diese Welt birgt auch das Böse. Du wirst verletzt werden; nicht nur deine Knie beim Fallen. Du wirst von Klippen stürzen und Verrat trinken. Du wirst weinen, verzweifeln und zweifeln. Ich wünsche dir Menschen, die deine Tränen trocknen, die mit dir schweigen können, wenn es keinen Rat mehr gibt. Ich wünsche dir, dass dann jemand da ist, der dich an deine Würde erinnert, die Würde des Gotteskindes, das niemals tiefer fällt als in Gottes Hand. Eines Gottes, der selbst ein Menschenkind wurde, um bei uns zu sein.

Jetzt aber, Juliane, du kleine Prinzessin, will ich dir noch etwas wünschen. Ich wünsche dir Eltern, die dich beschützen. Sie sollen auf dich schauen, wenn du die ersten Schritte machst, und ihre Arme sollen immer für dich offen sein. Ich wünsche dir Eltern, die an dich glauben, die nicht das Scheitern, sondern immer erst die tausend Möglichkeiten in dir sehen, die dein Herz, dein Verstand und deine große Seele bereithalten.

Ich wünsche dir Eltern, die dir nicht die Kindheit rauben durch Egoismus und Achtlosigkeit. Sie sollen dich vor dem Grauen, das es tatsächlich gibt, schützen. Ja, sie sollen dir verbieten, das Grauen anzuschauen. Du darfst, solange du an Feen, Elfen, Zauberschlösser und endlose Liebe, an die Guten und das Christkind glaubst, niemals das Grauen in dieser Welt sehen. Sie sollen deine Augen und deine Seele bedecken, wenn das Grauen sichtbar wird.

Ich wünsche dir Eltern, die dich loslassen können, wenn du deine Flügel ausbreitest. Ich wünsche dir starke Wurzeln, aber noch stärkere Flügel, damit du dahin fliegen kannst, wohin deine Bestimmung dich weist. Vergiss nicht, dass du Gottes Kind bist, eines Gottes, der auch Mensch und Kind ist, und der dich stark macht wie einen Adler. Es wird der Tag kommen, da bist du kein tollpatschiges Menschenkind mehr, sondern groß und bereit für das Leben, das – trotz allem – wunderschön ist.

Vera Novelli

Advent

2

Nun lasst uns wieder stille werden
tief innen still
weil's auf der wintermüden Erde
Weihnacht werden will

lasst die Hände uns reichen
gleich was da war oder ist
ein Kind uns zum Zeichen
Liebe, die nicht wägt, nicht misst

lasst uns gute Hirten sein
aufmerksam, voller Zuversicht
Nähe verschenken, Geborgensein
Freude und Licht

Emmy Grund

Glanz strahlt von der Krippe aus

3

„Weil Gott in tiefster Nacht erschienen, kann unsre Nacht nicht traurig sein!“, heißt es in dem Liedtext, den Dieter Trautwein 1963 verfasst hat. Ja, die Geburt Jesu verheißt Lichtvolles. Mitten in der Dunkelheit.

Man kann es auf Altarbildern sehen oder im Museum oder auf christlichen Weihnachtskarten: manchmal malen Künstler die Szene im Stall von Bethlehem so, dass kein Licht von außen Maria, Josef, das Jesuskind, die Hirten, die Tiere beleuchtet. Nein, das Licht geht vom Kind aus. Ob diese Künstler den Hymnus „Veni redemptor gentium“ kannten? Diesen wunderbaren Text hat der große Bischof Ambrosius (339 in Trier geboren, 397 in Mailand gestorben) geschrieben. Martin Luther hat den Hymnus aufgegriffen und ins Deutsche übertragen. Was wäre die evangelische Kirche ohne „Nun komm, der Heiden Heiland“, den Johann Sebastian Bach (1685 – 1750) großartig vertonte?

Das katholische Gesangbuch „Gotteslob“ hat den Ambrosius-Hymnus, der das Geheimnis der Menschwerdung Gottes betrachtet, in seine Adventslieder (Nr. 227) aufgenommen. Die Übertragung stammt von dem aus der Schweiz stammenden evangelischen Theologen und Kirchenmusiker Markus Jenny (1924 – 2001). Seine Worte sind nah bei Ambrosius, nah bei dem, der „wesenhaft ganz Gott und Mensch“ ist, und nah bei den Gläubigen.

Die 4. Strophe im „Gotteslob“ ist bei Ambrosius die sechste. Sie hebt an: „Praesepe iam fulget tuum“. Markus Jenny hat daraus den wunderbaren Vers kreiert: „Glanz strahlt von der Krippe auf,/neues Licht entströmt der Nacht./Nun obsiegt kein Dunkel mehr,/und der Glaube trägt das Licht."

Das Licht geht vom Kind aus

Ja, aus der Krippe von Bethlehem, letztlich vom göttlichen Kind, vom Erlöser strahlt Glanz aus. Und weiter heißt es, dass dieser Nacht „neues Licht" entströmt. Erinnert sei an die Gemälde und Weihnachtskarten. Das Licht, das vom Kind ausgeht, macht die Nacht hell. Mehr noch, dieser Glanz fällt auf die Gesichter der Umstehenden: Maria, Josef, die Hirten. Und oft sieht man in diesen „angeleuchteten" Gesichtern Anmut und Frömmigkeit bei Maria, Nachdenklichkeit und Gebet bei Josef, Staunen und stille Freude bei den Hirten. Gerade die „bestrahlten" Gesichter der armen und wenig geschätzten Hirten erhalten vom Kind her eine neue Würde.

So wird in dieser Weihnachtsszene die Tiefe des christlichen Menschenbildes deutlich: Jesus, der Christus, ist Heiland und Bruder aller Menschen. Alle haben von Gott her die gleiche Würde. Sie muss nicht verdient werden; sie ist Geschenk. Das kündet jedes Weihnachtsfest neu.

P. Alexander Holzbach

Im gepäck

ich habe den himmel in meinem gepäck
überall ist ankunft heimwärts gehe ich
die sterne im herzen leuchten mich zu dir
stets empfange ich aus der wolke liebe
auf den christrosen wandle ich im glück
du hast mich in deinem herzen
der himmel wohnt in meinem leben

Michael Lehmler

4

Wunderbar wiederhergestellt

Scheitern ist nicht schlimm. Scheitern gehört zum Leben. Das Wort „scheitern“ kommt von scheiten. Wir scheiten, also spalten zum Beispiel Holz, weil dadurch die gespeicherte Energie im Feuer besser freigesetzt wird. Deshalb ist Scheitern eine Kunst. Und sie hat viel mit Würde zu tun.

Die Schönheit der Tonschale fällt sofort ins Auge. Neben der schlichten Eleganz ihrer Form ist es vor allem die spannende Musterung ihrer mit goldenen Linien durchwirkten Glasur. Goldadern durchziehen die Oberfläche der Schale. Mal dünner, mal etwas breiter, treffen sie aufeinander und verästeln sich wieder.

Was so schön, edel und wertvoll wirkt, verdankt sich letztlich einem Totalschaden: Diese Schale ging zu Bruch. Ihr Scherbenhaufen wäre wohl in den Müll gewandert, hätte sich nicht ein Meister oder eine Meisterin des Kintsugi ihrer angenommen. Kintsugi ist eine japanische Reparaturmethode für zerbrochene Keramik. Dabei werden die einzelnen Scherben an ihren Bruchlinien mit Goldlack wieder zusammengefügt und fehlende Teile damit aufgefüllt.

Eine Verletzung und die Geschichte ihrer Verwandlung

Hinter dieser traditionellen Technik steht der Gedanke, dass Scheitern nicht gleich das Ende bedeuten muss und Brüche nicht versteckt werden müssen. Was zerbrochen war, kann wieder ganz und heil werden. Folgt man behutsam den Linien der Verletzung, kann gerade daraus etwas einzigartig Neues und sehr Wertvolles entstehen.

Kintsugi zeigt die Verletzung und erzählt zugleich die Geschichte ihrer Verwandlung.

Die Geschichte dieser Tonschale ist wie ein Bild für das Geheimnis und Geschenk der Würde des Menschen, die wir an Weihnachten feiern. Wunderbar hat Gott den Menschen in seiner Würde erschaffen, weil Gott ihn von Anfang an als sein Gegenüber und zugleich als sein Abbild erschaffen hat, indem er ihm Anteil gab an seinem göttlichen Leben („Da formte Gott, der HERR, den Menschen, Staub vom Erdboden, und blies in seine Nase den Lebensatem. So wurde der Mensch zu einem lebendigen Wesen“, Gen 2,7). Der Glanz dieser ursprünglichen Würde, die dem Menschen als Austausch und Lebensgemeinschaft mit Gott zunächst so selbstverständlich mitgegeben zu sein scheint wie das Ein- und Ausatmen, bleibt über den Verlauf der Geschichte dessen, was er entscheidet und was ihm zustößt, nicht ungetrübt.

In diese Brüche und in die Zerrissenheit menschlicher Geschichte hinein wird Gott Mensch. In Jesus macht sich Gott selbst verletzlich. In seinem Leben und Sterben hat Jesus die Menschen in ihrer Verletzlichkeit und in ihren Brüchen berührt und geheilt. In der Menschwerdung Jesu nimmt Gott die Geschichte angesichts des Scheiterns und aller Verletzungen der menschlichen Würde nicht zurück. Er nimmt sie an und nimmt an dieser Geschichte teil. Er begibt sich so sehr selbst in die Wunden und Risse der verletzten menschlichen Würde hinein, dass er sie mit seiner Hingabe wiederherstellt, heilt und in eine neue gemeinsame Heilsgeschichte verwandelt.

Der Mensch soll wieder aufatmen

Mit der Menschwerdung Gottes gibt es gerade an den Bruchstellen des Lebens und den tödlichen Abgründen die Hoffnung, dass der Mensch wieder aufatmet und sich aufrichtet, weil in Jesus wieder und zugleich auf ganz neue, intensive Weise ein Ein- und Ausgehen, ein gemeinsames Abkommen und gutes Auskommen zwischen Gott und Mensch eröffnet ist.

Maria Weiland

Der Ofen der Geborgenheit

Bei Weihnachtsdüften denken viele an Zimt, Weihrauch und Plätzchen. Aber auch ein bullernder und wärmender Kohle-Ofen kann eine Wohnung in Duftrausch versetzen. Und die Erinnerung an ihn weckt noch heute wohlige Gefühle an die Kindheit und diesen heimeligen Geruch.

Auf dem Grund jeder Seele dümpelt eine Kindheitserinnerung, als man sich mithilfe eines Duftes auf ganz besondere Weise sicher und behütet gefühlt hat. Ich verdanke sie einem Ofen, einem eisernen Gebilde mit plastischen figürlichen Prägungen, der eine Klappe mit Griff hatte, damit man ihn von oben befüllen konnte. Leider hat er seinen Weg nicht in meinen Haushalt geschafft, so dass ich von ihm nur aus der Erinnerung berichten kann.

Es war die Zeit im Jahr, wenn unsere Stadt im Schnee versank und sämtliche Fenster, soweit überhaupt noch Glas in ihren Rahmen war, Eisblumen hatten. An den Füßen juckten Frostbeulen, weil unsere Schuhe nicht mit unseren Füßen mitgewachsen und nicht ohne weiteres gegen passende Exemplare einzuwechseln waren. Wer allzu sehr litt und klagte, dem wurden die Füße mit Schnee abgerieben, und keineswegs in warmem Wasser aufgetaut.

Eine ganze Wohnung zu heizen, war damals nicht möglich, weshalb die Familie an Werk- wie auch an gewöhnlichen Sonntagen um den Küchenherd versammelt war, in dem das einzige Feuer brannte und auf dem auch gekocht wurde, was essbar war. Aber wenn es auf Weihnachten zuging, stieg mein Vater mit einem schwarzen Kohlenkübel in den Keller hinunter und brauchte eine ganze Weile, bis er wieder nach oben kam. Dabei hatte er dann jedes Mal Holz zum Anfeuern und ein paar größere Scheite zum Nachlegen.

Alles kam in den Schlund des eisernen Ofens im elterlichen Wohnzimmer, woselbst es bald knisterte und knarrte und nach einer Weile eine ungewohnt schwere Wärme verströmte. Ein paar Koksbrocken obendrauf gewährten eine längere Verweildauer der Glut in seinem Innern. Das heiß gewordene Eisen, dem zu nah zu kommen wegen Verbrennungsgefahr verboten war, die überraschend erwärmte Wand, das alsbald beängstigend heiße Ofenrohr, alles was herum-

stand oder an Wänden hing, erwärmte sich durch das Feuer und gab, je nach Material, unterschiedliche Gerüche ins Zimmer, in den Flur und noch eine Ahnung davon in angrenzende Wände ab.

Verheißungsvoller Duft

Diese Geborgenheit verheißende warme Luft war der wundervollste Zauber, der Weihnachten für mich damals so fühlbar machte wie sonst nichts. Ich habe ihn über all die zurückliegenden Jahrzehnte auch als spezifischen Geruch von Heimat verinnerlicht.

In der notvollen Nachkriegszeit entfaltete das Weihnachtsfeuer in der „kalten Pracht" eine spirituelle Dimension. Der Besonderheit bewusst, näherten wir uns dem Zimmer mit großem Respekt und sogen das ungewohnte Duftgemisch andächtig durch die Nase ein. Und irgendwie nahm das heilige Geschehen um die Geburt Jesu unter uns seinen Verlauf, ohne dass man groß darüber sprach.

Die in alle Ritzen dringende Wärme weckte Lebensgeister, die in der Kälte vorübergehend erlahmt waren. War das Feuer gegen Abend erloschen, roch es in der ganzen Wohnung noch herrlich heimelig. So retteten wir einen Teil der guten Stimmung über Tage hinweg. Keine spätere Zentralheizung in einer meiner nachfolgenden Wohnungen vermochte das Aufwallen weihnachtlicher Gefühle so zu entfachen, wie der Geruch der Wärme des eisernen Ofens in der Wohnung meiner Eltern. Er vermochte Räumlichkeiten ebenso wie Menschen zu verzaubern.

Herma Brandenburger

Gedanken zum Advent

innehalten
mitten am Tag
wo immer du bist
ein Gedanke
ein Stoßgebet
zur Mitte finden

innehalten
Atem schöpfen
damit Ungewissheit und Ängste
dich nicht lähmen
die Hektik
nicht zerpflückt

innehalten
auf Wesentliches
besinnen
damit Druck und Stress
das Urteil der Andern
nicht zum Maß
der Dinge wird

innehalten
damit du
die Spur nicht verlierst
Geborgensein spürst
zur Mitte findest

Emmy Grund

Der Duft der Kindheit

8

Erst wenn etwas verlorengeht, merken wir, wie wichtig es ist. Zum Beispiel, wenn wir plötzlich nichts mehr riechen könnten. Und was wäre Weihnachten ohne unsere Nase?

„Weißt du, was für mich Weihnachten am schlimmsten war?“ Meine Arbeitskollegin schaut mich abwartend an. „Dass ich nichts riechen konnte!“ Sie war an Covid erkrankt und es dauerte bis ins Frühjahr, bis sich alle Symptome der Krankheit wieder zurückgebildet und Geruchs- und Geschmackssinn sich regeneriert hatten.

Neben allen Symptomen war für sie der vorrübergehende Verlust des Geruchs- und Geschmackssinnes etwas, was sie sehr belastet hat. Und so freut sie sich schon sehr auf die Advents-

und Weihnachtszeit mit all ihren Düften. Aber warum hat ihr das gerade in dieser Zeit so gefehlt?

Sie hielt mir eine kleine Dose unter die Nase: Weihnachtstee stand drauf. Sofort war mir klar, was sie meinte. Dieser intensive Geruch nach Zimt und Mandel, nach Orangen und Lebkuchengewürz löste etwas in mir aus: Eine Sehnsucht, wohlige Wärme, das Gefühl von Geborgenheit, die Erinnerung an Eltern und Großeltern, lieb gewonnene Rituale.

Schöne Gefühle riechen

Wir verbinden viel mit Gerüchen, mit den wohlriechenden Düften ebenso, wie mit denen, die weniger schöne Gefühle in uns auslösen.

Der Duft der Weihnachtszeit weckt bei den meisten Menschen schöne Erinnerungen. Glühwein und gebrannte Mandeln machen Lust darauf, über den Weihnachtsmarkt zu schlendern. Meine Kollegin erzählte davon, dass sie früher immer mit ihren Geschwistern und Cousinen um den 3. Advent mit dem Opa einen Tannenbaum geschlagen haben, und es anschließend auf dem Hof Punsch und Waffeln für die Kinder und Glühwein für die Erwachsenen gab.

Der Duft von frisch gebackenen Plätzchen lässt so manche Geschichte aufleben: Vom gemeinsamen Backen, dem Teig schlecken, vom Ehrgeiz der Mama, möglichst viele Sorten zu backen und die Plätzchen dann auch bis Weihnachten gut zu verstecken. Wobei es in jeder, wirklich in jeder Familie eine Weihnachtsmaus gab und gibt, die die Dose doch schon vor dem Fest fand und von den Köstlichkeiten naschte.

Kleinigkeiten im Pantoffel

Wie gerne erinnere ich mich daran, dass Opa uns Kindern vor Nikolaus immer eine Kleinigkeit in die Pantoffeln gesteckt hat, die extra vor die Kinderzimmertüre gestellt wurden. Unvergessen der Besuch des Nikolauses, den ich an seiner Uhr als unseren Onkel identifizierte. Gemeinsames Plätzchen backen, Gedichte lernen, Strohsterne basteln, das Christkind, das die Puppe vor Weihnachten mitnahm und zum Fest mit neuen Kleidchen wieder brachte.

Eine ältere Dame lauschte unserem Gespräch mit einem Lächeln und erzählte uns dann, wie sie als junges Mädchen eine Orange zu Weihnachten geschenkt bekam. Eine damals so exotische Frucht. Sie habe niemals den Duft vergessen, der beim Schälen der Orange ausströmte. Immer, wenn Apfelsinen oder Mandarinen geschält würden, käme die Erinnerung daran zurück.

Erinnerungen werden wach

Dass der Weihnachtsduft in seiner ganzen Breite offensichtlich dazu gehört, um in jedem Jahr wieder schöne Erinnerungen zu wecken, die eben auch und besonders in diese Zeit gehören, hat die Erkrankung meiner Kollegin gezeigt. Und noch etwas ist uns bewusst geworden und bestätigt sich in jedem Jahr auch in unserer Arbeit wieder: Viele dieser Düfte haben wir zum ersten Mal im Kindesalter wahrgenommen und auch genau dort sind viele Erinnerungen verortet, die dann wieder lebendig werden, wenn wir eben diesen Duft in die Nase bekommen.

Ich habe mir vorgenommen, in diesem Jahr besonders aufmerksam die Düfte wahrzunehmen und mir mit den Erinnerungen, die dann hoffentlich geweckt werden, eine ganz besondere Weihnachtsfreude zu machen.

Pia Biehl

wie gut das licht riecht

9

wie gut das licht riecht
das in unseren herzen
aufgegangen ist

wie sehr der weihrauch
uns mit göttlicher liebe
heilsam umhüllt

der schrei des lebens
zerreißt die nacht und
auch die große not

der geruch des stalles
der ruf der sterne
der gesang der engel

alles betört mich und
weist auf das wunder hin
neuanfang in dunkler zeit

Michael Lehmler

Der Stallgeruch der Christen

Weihrauch ist angstlösend und entspannend, aber noch viel mehr erinnert er uns an die Botschaft der Versöhnung.

Der Geruch von Plätzchen, der kurz vor Weihnachten durch unser Haus zog, war stets ein Hinweis dafür, dass der Heilige Abend kurz vor

der Tür stand. Zudem hatte meine Großmutter jedes Jahr eine große Krippe aufgebaut, was mich bereits in meiner frühen Kindheit auf eindringliche Weise an die Geburt Jesu erinnerte. Gingen wir dann an Weihnachten in die Kirche, waren alle Plätze, anders als üblich, bis auf den letzten Platz gefüllt.

Während des Gottesdienstes habe ich – umgeben von brennenden Kerzen – als Messdiener den Weihrauchbehälter geschwungen, sodass sich der Duft im ganzen Kirchenraum verteilt und mich dabei auch selbst etwas benebelt hat. Damals war mir zwar bewusst, dass die heiligen drei Könige dem Christuskind Weihrauch und Myrrhe gebracht hatten. Was mir aber im Alter von zehn Jahren nicht klar war, war die Tatsache, dass Weihrauch und Myrrhe schon zur Zeit Salomos eine große Bedeutung hatten, nur wenigen Menschen zugänglich waren und den Wert von Gold besaßen. Besitzt Weihrauch doch eine entspannende und angstlösende Wirkung, sodass ihm beim Aufsteigen nach oben nicht nur eine symbolische Bedeutung zukommt, sondern auch eine andächtige Wirkung unter den Gottesdienstbesuchern erzeugt.

Verheißung der Versöhnung

Zudem hat sich der Weihrauch lange in der Kleidung gehalten, sodass jede Person, die den Gottesdienst besucht hatte, diesen Geruch mit nach Hause brachte. So drückt der Weihrauch bis heute auch den Stallgeruch der Christen aus. Letztlich sind Weihnachtsdüfte Vorfreude-Düfte. Besuchen Eltern mit ihrem Kind einen Weihnachtsmarkt, auf dem sie ihm sagen, wie herrlich es dort doch nach Kerzenduft und Weihnachtsgebäck riecht, dann ist diese Geruchssituation bei ihrem Kind auch schnell positiv besetzt. Was uns aber gerade als Erwachsene an Weihnachten mehr als jeder Geruchssinn beruhigen soll, ist die Verheißung, dass uns mit der Geburt Jesu ein Heiland und Friedensfürst erschienen ist, der uns zur Versöhnung mit Gott, den Menschen und uns selbst aufruft, damit gerade beim Zusammentreffen mit den Angehörigen an Weihnachten keine dicke Luft zwischen den einzelnen Personen entsteht.

Sicher ist es sehr angenehm, wenn uns der Geruchssinn an Weihnachten in unserer Seele zu betören weiß. Doch wir werden die wohltuenden Gerüche an Weihnachten nicht gut aufnehmen können, wenn wir nicht zu einer friedlichen Stimmung zusammenfinden, mit der wir dann auch das gemeinsame und gut riechende Essen ausgiebig genießen können.

Otmar Heftrich

Der blaue Engel

Unsere sieben Weihnachtskisten werden dieses Jahr nicht ausgepackt. Es ist unser Experiment 2021.

Klar und radikal waren hierzu die Worte des Dichters Angelus Silesius vor 400 Jahren: „Und wäre Christus tausendmal in Bethlehem geboren, und nicht in dir, du gingest ewiglich verloren“. Kein buntes Tamtam also bis zum Heiligen Abend. Ein Wagnis. Ich muss das einmal ausprobieren.

Normalerweise hätten wir, pünktlich zum ersten Advent, schon jede Ecke geschmückt. Mit dem handgefertigten Santa Claus und seinem Rentier aus Kentucky, dem Nussknacker, der Pyramide, zwei Nikoläusen vom Erzgebirge und Lichterbögen. Abends schmauchte uns das Räuchermännchen ein, mit Zimtapfel-, Weihrauchmyrrhe- oder Tannenduft. Alles bleibt in der Kiste.

Vom Speicher geholt habe ich aber Maria, Josef und das Jesuskind, unsere zarten, schlichten Krippenfiguren aus Lindenholz, dazu das kuschlige Wollschaf, damit es im Stall heimeliger wird. Und der Engel im blauen Kleid sitzt auf seinem Stammplatz in der Küche. Das muss sein. Zu viele Erinnerungen sind mit dieser kleinen Holzfigur verbunden. 1990 kaufte ich sie in Bonn, nach dem Fall der Mauer, auf dem ersten deutsch-deutschen Weihnachtsmarkt. Ewig unvergesslich bleibt mir das strahlende Gesicht des Holzschnitzers aus Sachsen, als ich mich für die blaue Schöpfung aus seiner Werkstatt entschied.

Seit dreißig Jahren begleitet dieses etwas pummelige Figürchen meinen Mann und mich. Treu, tapfer, standhaft. Etwas ramponiert, schaut es inzwischen ernst und nachdenklich drein, ist längst ein Symbol für die Höhen und Tiefen unserer Ehe, für Stress und Hektik an manchen

Tagen. Mit seiner Bienenwachskerze leuchtet es uns, wenn wir in der Advents- und Weihnachtszeit gemütlich zusammensitzen. Oh je. Plötzlich riecht es schon wieder nach verbranntem Holz, wenn das dicke, blaue Engelchen einen Moment unbeobachtet ist. Vielleicht sollten wir ihm gelegentlich eine Pause gönnen, es nicht weiter strapazieren mit Sentimentalitäten.

Der Poet, Theologe und Arzt Angelus Silesius mahnte zur Konzentration auf das Wesentliche der Weihnachts-Botschaft. Sicher hat er recht. Nur auf unseren „Engelsduft" können mein Mann und ich, auch in diesem Jahr, auf gar keinen Fall verzichten. Der blaue Engel vergegenwärtigt uns all das Wunderbare der Geburt des Gottessohnes: Glaube, Liebe, Hoffnung, Freiheit und vor allem Licht in den dunklen Stunden des Lebens.

Ellen Dietrich

Fürchte dich nicht

12

Fürchte dich nicht
vor den Schatten der Zeit
trag das Licht
in die Dunkelheit.

Trag es in die grauen Gassen
zu Sorge und Not
schenk es einem, der verlassen
mutlos, angstbedroht.

Stell es entzündet in Bethlehems Stall
hinter morsche Türen
auf Wege, die schuldverstrickt, steinig, schmal
ins Uferlose führen.

Allen, die verzagt, zerrieben
zwischen Hektik, Lärm und Pflicht
Stille suchen, Frieden lieben
bring das Licht.

Mach es fest als Maß und Mitte
in der Wünsche großem Haus
gleich mit ihm die Defizite
deines eigenen Herzens aus.

Kindern stell mit Herz und Hand
leuchtend voller Zuversicht
Gottes Licht ins Zukunftland

fürchte dich nicht.

Emmy Grund

Plätzchenduft

13

plätzchenduft
glutroter himmel
die sehnsucht brennt
es ist advent

glühwein und
zuckerwatte
begegnungen
es ist wunderzeit

weihrauch
es ist weihnacht
gott heilt im kind
alle wunden

verbrannte erde
der mensch
zerstört sich
und alles

wieder ist advent
die sehnsucht brennt
der weihrauch auch
ist rettung da –

ob noch einmal
die blume des lebens
auf den todesfeldern
blühen wird

Michael Lehmler

„Gott gab uns
Seinen göttlichen Sohn,
damit wir Ihn nachahmen
und so weit als möglich
Ihm ähnlich werden.“

Vinzenz Pallotti

14

Wenn die Nächte kalt sind

Was machen Ochs und Esel in der Krippe? Die Tradition hat sie irgendwann dahin gestellt. Und sie können für vieles stehen: für die Schöpfung, für die Wärme des Stalls oder dafür, dass Menschen Tiere brauchen.

Es ist Advent, ich habe Lust, mich in das vorweihnachtliche Getümmel, mit den Düften, der Musik und den glitzernden Dekorationen zu stürzen. Deshalb rufe ich meine Freundin an; es wäre schön, wenn sie mit bummeln würde. Als sie sich meldet, höre ich schon an ihrer Stimme, dass sie etwas bedrückt ist. Vorsichtig frage ich, wie es ihr geht und sie sagt mit bebender Stimme, dass ihr kleiner Hund Gipsy eingeschläfert werden musste.

Ochse, Esel und die Katze

Ihre Trauer war groß und sie hatte keine Lust auf Weihnachtsbummel. Ich nach dieser traurigen Nachricht auch nicht mehr. Dann nehme ich mir jetzt die Zeit, um meine Krippe aufzubauen, dachte ich und begann alle Figuren aus dem Karton zu holen. Maria und Josef, die Hirten, die Könige, und dann die Tiere Ochs und Esel, Schafe, Kamel und eine kleine Katze.

Nach dem Telefonat mit der trauernden Freundin fragte ich mich zum ersten Mal, warum eigentlich so viele Tiere mit zur Krippe gehören. Naja, die Menschen damals haben von und mit diesen Tieren gelebt. Sie waren nützlich als Last und Zugtiere, als Wolle-, Fleisch- und Milchlieferanten, und darauf waren die Menschen auch angewiesen. Vermutlich hatte man damals ein anderes Verhältnis zu den Tieren, denn die Nähe und der Umgang mit ihnen war alltäglicher und vertrauter. Menschen und Nutztiere lebten oft in gemeinsamen Räumen zusammen. Also stelle ich Ochs und Esel nahe zur Krippe.

Jesus wird später vom guten Hirten erzählen

Denn auch in warmen Ländern sind die Nächte kalt und die Tiere wärmen das Kind durch ihre eigene Körperwärme und ihren warmen Atem. Auch die Figur eines knienden Hirten, der ein Schaf auf seinen Schultern trägt, stelle ich ganz nah vor die Krippe. Später wird der erwachsene Jesus vom guten Hirten erzählen, der sein verlorenes Schaf suchen geht.

Dieses Mal stelle ich alle Schafe in den Stall ganz nah zum Jesuskind. Auch die kleine Katze findet unter der Krippe noch einen Platz. Ich betrachte mir das Bild, das so entstanden ist und denke mir, eigentlich konnte Gott nur an einem solchen Platz die Welt betreten, nur hier, wo alle seine Geschöpfe Zugang haben, wo Mensch und Tier gleichzeitig die große Freude erfahren können, dass der Retter geboren ist. Denn wir sind alle Geschöpfe Gottes und warten auf die Erlösung.

Gertrud Brem

Der große Bruder

16

Ein einsames Kind aus Deutschland, ein einsamer Soldat aus der Ukraine, und ihre kurze Geschichte an einem Weihnachtsfest im Jahre 1945.

An einem Tag im Mai 1945 war der Zweite Weltkrieg zu Ende. Den Fronten oblag nun die Aufgabe, sich zu beruhigen und für Normalität zu sorgen. Und wenn noch geschossen wurde, dann nur, um Diebe zu warnen. Dies betraf insbesondere den weitläufigen Komplex des militärischen Kasernenareals, das noch als „Heereszeugamt" aus dem Ersten Weltkrieg stammte. Bis die neuen Besitzverhältnisse geklärt waren, stellte dieses Gelände eine Fundgrube für Plünderer dar.

Ich war noch kein Schulkind, auch weil das große Schulgebäude infolge eines Bombenangriffes bis auf wenige Räume unbenutzbar war. Als einziges Kind eines älteren Ehepaares weitgehend mir selbst überlassen, war ich viel allein. Nicht nur die Großen, auch Kleine kann die Einsamkeit heimsuchen. Ich war nahezu besessen von dem Wunsch, einen großen Bruder zu haben, der für mich da ist und mir die Welt erklärt, wo es allen anderen die Sprache verschlagen hatte.

Die Erwachsenen litten alle an ihren unterschiedlichsten Kriegsverwundungen, körperlicher wie seelischer Art. Dennoch war jeder bemüht wieder etwas Normalität in die Reste einer untergegangenen Welt zu bringen, in der sich alle Gewissheiten aufgelöst hatten. Für mein Alter hatte ich schon viel zu viel für ein Kind Ungeeignetes mitbekommen, als ich gewahr wurde, dass ein sehr junger Mann mit einem Gewehr über der Schulter täglich in unserer Straße die Mauer des Militärgeländes entlang patrouillierte. Er war offenbar erfreut darüber, dass jemand die Eintönigkeit seiner Route unterbrach, als ich ihn eines Tages einfach ansprach.

Ein Soldat namens Anton

Er hieß Anton, und ich sollte Toni zu ihm sagen. Toni schien gerade mal volljährig zu sein, als die amerikanischen Besatzungssoldaten ihn als Wachmann eingestellt hatten. Gemessenen Schrittes ging er Stunde um Stunde die endlose Mauer entlang, um die Kasernen gegenüber unserem Mietshaus gegen das Eindringen Unbefugter zu kontrollieren. Mittlerweile hatten sich amerikanische Besatzungssoldaten dort einquartiert.

Sobald ich Toni auf seinem Rundgang entdeckte, ging ich mit ihm die endlose Backsteinmauer entlang, die das Gelände einfasste und an manchen Stellen notdürftig geflickte Bombeneinschläge aufwies. Bald hatten wir Vertrauen zueinander gefasst; ich, das kleine plauderfreudige Mädchen, und er, der junge Ukrainer, der, aus welchen Gründen auch immer, hier mehr gestrandet als freiwillig gelandet zu sein schien.

Hoher Himmel, endlose Weizenfelder

Bald erzählte Toni ausführlich von seiner Heimat, dem schönen, aber weit entfernten Land namens Ukraine mit seinem hohen blauen Himmel über endlosen, gelben Weizenfeldern, von dessen Existenz und Lage ich bis dahin genau so wenig wusste wie von dem Umstand, wieso ein so junger Mensch fern seiner Heimat hier als Wachmann Dienst tun musste.

Toni war ein stiller, ruhiger Mensch, und wäre ich etwas älter gewesen, wäre mir aufgefallen, dass es sich dabei um eine unterdrückte Traurigkeit handelte.

Mittlerweile Winter geworden, hielten mich auch nicht Schnee und Eis davon ab, Toni auf seinen Kontrollgängen zu begleiten. Nach jeder Schneenacht war der weiße Belag auf unserer Straße höher, und da ich keine warmen Winterstiefel besaß, hatte ich in meinen ohnehin bereits zu engen Schuhen alsbald nasse Füße und juckende Frostbeulen.

Dann kam Weihnachten. Aber ohne Tannenbaum und zu erwartende Geschenke im Nach-

kriegstrümmermeer. Eine ältere Frau aus der Nachbarschaft hatte aus Wollresten eine warme Mütze und Fausthandschuhe für mich gestrickt. Völlig überwältigt wollte ich Toni meinen neuen Reichtum unbedingt vorführen. Doch ganz gegen die Gewohnheit war er nirgends zu sehen.

Ziemlich irritiert lief ich die Strecke seiner Wache ab, als es bereits dämmerte. Ich rannte und rief seinen Namen in die hereinbrechende Dunkelheit. Längst war die Straße zu Ende, und ich bei einem verlassenen Bahngelände angekommen, als ich im Schein einer hohen Fabriklampe Tonis Umrisse erkannte.

Erleichtert rannte ich auf ihn zu und hielt ihm meine Schätze unter die Nase. Doch statt sich mit mir zu freuen, reagierte er ungehalten: Wie gefährlich es für ein kleines Mädchen sei, einfach auszubüxen, und wie ich jetzt in der Dunkelheit nach Hause finden wolle. Er dürfe doch seinen Posten nicht verlassen. Völlig bedröppelt hatte ich nicht mit einer Strafpredigt gerechnet. Hart nahm er mich an die Hand und geleitete mich ein Stück des Rückweges, wobei er seine vorgeschriebene Strecke verbotenerweise verließ.

Als der Anfang unserer Straße erkennbar wurde, ließ Toni mich los und ging eilig zurück. Die amerikanische Militärpolizei war für ihre drakonischen Strafen gegenüber dem Fehlverhalten ihrer Leute bekannt. Daheim hatte mich noch niemand vermisst, ich war einfach nur glücklich darüber, Toni wiedergefunden zu haben.

Was ich nicht wusste: Wenige Jahre davor war auf russischem Boden ein junger deutscher Soldat gefallen; er war der geheim gehaltene voreheliche Sohn meiner Mutter – mein großer Bruder.

Herma Brandenburger

Ein kleines Wunder

Sich selbst lieben, das ist ein großes Wort und ein großer Anspruch. Manchmal reicht es aber auch, einen kleinen Schritt in diese Richtung zu wagen.

Es war ein normaler Tag in der Woche. Ich machte wie jeden Dienstag als ehrenamtlicher Klinikseelsorger meine Runde auf der chirurgischen Station eines Krankenhauses in Süddeutschland. Doch an diesem Tag wollte niemand mit mir sprechen. Also beschloss ich, heute selbst mit dem lieben Gott zu sprechen. Ich ging in die Klinikkapelle und setzte mich.

Plötzlich betrat eine Frau den Raum. Sie blickte sich um, sah mich und kam auf mich zu. Ob sie mich etwas fragen dürfte? Ich nickte ihr zu. Ob ich wüsste, was der Name Johannes übersetzt bedeutet? Ja, das wusste ich zufällig. Es heißt „Gott ist gnädig." Sie machte große Augen und bedankte sich. So also lautet der Name des Evangelisten übersetzt! Wir kamen ins Gespräch.

Sie erzählte von sich, ihrer Kindheit, ihren Problemen, und irgendwann bekam ich eine Ahnung, dass es ihr psychisch wohl nicht gut geht, und sie unter inneren Stimmen leidet, die ihr das Leben schwer machen. Ich fragte sie, auf welcher Station sie untergebracht sein. „Auf der Psychiatrie", lautet die Antwort. Und sie schob nach, dass es ihr einfach so unendlich schwerfalle, sich selbst zu lieben.

Geduldig hörte ich mir ihre Geschichte und ihre Geschichten an, und immer schwang diese Klage mit: „Ich kann mich nicht lieben." Bis ich auf einmal eine Idee hatte: „Wie wäre es, wenn Sie klein anfangen", schlug ich vor. „Sie müssen sich nicht gleich lieben. Aber Sie könnten sich erst mal einfach so nehmen wie Sie sind." Die Frau sah mich an. Sich selbst annehmen vor der Selbstliebe? Ihre Gesichtszüge wurden ruhiger, entspannter. Sie lächelte ein wenig. „Ja", sagte sie. „Ja." Sie stand langsam auf, bedankte sich und ging zur Tür hinaus. Ich nickte ihr noch einmal zu.

Wenig später traf ich den Klinikpfarrer, der das Gespräch bemerkt hatte, als er kurz in die Kapelle kam. „Ob es schwer war, das Gespräch mit der Frau zu beenden?", wollte er wissen. Denn meist klammere sie sich sehr an ihre Gesprächspartner und wolle nicht zurück auf Station. „Nein", entgegnete ich. „Sie hat sich bedankt, verabschiedet und ging wohl auf ihr Zimmer." Ich wunderte mich ein wenig. Ja: Gott ist gnädig.

Alexander Schweda

Du darfst lieben!

18

Den Pharisäern war bestens bekannt, was Jesus als wichtigstes Gebot bezeichnet. Mitten im Schlaf hätten sie es aufsagen können: „Du sollst den Herrn, deinen Gott, lieben mit ganzem Herzen, mit ganzer Seele und mit deinem ganzen Denken." Und: „Du sollst deinen Nächsten lieben wie dich selbst!" (Mt 22, 37.39). So steht es in der Thora. Und dann?

Seltsa: Als Jesus tatsächlich so zu lieben begann, mit ganzem Herzen, mit ganzer Seele, mit all seinen Kräften, begehrten ausgerechnet die Frommen auf. Als er am Sabbat heilte, als er mit den Blutsaugern von Zöllnern und mit offensichtlichen Sündern Feste feierte, als er sich von einer Hure im Überschwang der Gefühle seine Füße streicheln und küssen ließ, da ging ihnen das doch zu weit, über jedes Maß hinaus. Seltsam.

Was ist das Maß der Liebe?

Die Bibel benennt ein Maß: Liebe Gott und den Nächsten – wie dich selbst! Das versuchen viele tatsächlich auch, doch das Problem ist, dass sie sich selbst zu wenig lieben. Schon bei kleinen Kindern kann man feststellen: In Momenten, in denen sie mit sich selbst nicht zurechtkommen, da werden sie quengelig, zuweilen sogar richtig zornig und sadistisch. Und bei Erwachsenen ist es nicht anders. Menschen, die sich selbst nicht mögen, haben es schwer. Sie geraten leicht in Versuchung, andere zu quälen. Man muss sie darum zuerst einmal spüren lassen, dass sie „liebenswürdig" sind.

Leider sieht die christliche Tradition in der Selbstliebe oft etwas Schlechtes, häufig sogar Sündhaftes. Nicht selten wird sie als Quelle des Stolzes, der Herrschsucht, der Eitelkeit, geradezu jeder Bosheit bezeichnet. Gelegentlich kommt dann noch Prüderie hinzu. Kinder, bei harmlosen Spielen überrascht, werden bestraft, die Freude am eigenen Körper, die Lust an der Schönheit, die Sehnsucht nach Zärtlichkeit werden als etwas dargestellt, was der „liebe Gott" nicht will. – Wie soll aber ein Mensch mit ganzem Herzen, mit ganzer Seele und mit all seinen Kräften lieben können, wenn man alles verteufelt, was er an sich lieben könnte?

Man mag nun einwenden: Aber was ist mit dem Egoismus? Den gibt es durchaus als Fehlentwicklung, aber das ist keine Selbstliebe. Im Gegenteil! Der Egoismus tritt gerade dann auf, wenn jemand um seinen eigenen Wert bangt oder meint, ihn erst erwerben zu müssen und daher ständig nach Bestätigung verlangt. Wer sich selbst liebt, für den bricht die Welt nicht zusammen, wenn er mal nicht in der ersten Reihe steht.

Ich bin liebenswert: das Ende der Selbstverachtung

Genau das hat Jesus erkannt. Es ist auffällig, dass oft ausgerechnet jene Leute seine Nähe gesucht haben, denen immer gesagt wurde, sie würden nichts taugen. Jesus ermutigte sie: Ihr braucht euch nicht zu verstecken. Ihr dürft „ja" zu euch sagen, trotz allem, was nicht so gut an eurem Lebensweg war und ist. – So etwas hatte ihnen bis dahin noch niemand gesagt. Die Menschen spürten: Jesus „lehrte wie einer, der Vollmacht hat, und nicht wie ihre Schriftgelehrten" (Mt 7,29). Er redete sicher auch anders als manche heutigen Prediger, vor allem wenn sie stets klagen, wie böse die Menschen seien und dass sie zu wenig Opfergeist hätten. Jesus hat für viele das Ende ihrer Selbstverachtung gebracht. Das befreite sie, schenkte ihnen neue Freude am Leben.

Wir Menschen sind immer wieder versucht, uns mit anderen zu vergleichen. Dabei stellen wir fest: Es gibt Menschen, die gesünder sind als wir, die vom Elternhaus her bessere Startbedingungen hatten, die begabter sind oder sonstige Vorteile besitzen. Und wenn man weniger hat, weniger kann, dann wird man unsicher, beginnt am eigenen Wert zu zweifeln, verliert an Mut. Das ist zwar Unsinn, aber es ist so. Jesus ermutigt uns: Nehmt euch so an, wie Gott euch annimmt.

Du darfst dich lieben, auch wenn du dir im Vergleich zu anderen manchmal arm vorkommst. Du darfst dich lieben, auch wenn du auf viele Fragen keine Antwort weißt. Du darfst dich lieben, auch wenn du nicht alle Schönheitsideale erfüllst, wenn du kinderlos oder geschieden bist, auch wenn du „nur" einen durchschnittlichen Verdienst oder eine kleine Rente hast. Du darfst dich lieben, auch wenn Schwachheit oder Krankheit dich zwingen, mehr zu nehmen als zu geben.

Etliche geraten in eine Depression, weil sie sich für „graue Mäuse" halten. Denen sei geraten, bei solchen Gedanken in den Spiegel zu schauen, sich genau zu betrachten und zu sich selbst zu sagen: „Ich bin keine graue Maus. Ich bin einmalig, eine ungeheuer interessante Maus." Das ist etwas humorvoll ausgedrückt das, was Jesus meint, wenn er uns auffordert: „Liebe dich selbst" Wer das kann, vermag auch leichter Gott und die Menschen zu lieben.

Ich kann lieben, weil Gott mich liebt

Jesus spricht aus eigener Erfahrung. Er wusste um die Kraftquelle seiner Liebe: „Wie mich der Vater geliebt hat, so habe ich euch geliebt" (Joh 15,9). Wer sich so wie Jesus von Gott geliebt weiß, der ist sich seines Wertes sicher, gewinnt die Freiheit, auf andere zuzugehen, kann freudig Gott und den Nächsten lieben. Jesus ist überzeugt: Das kannst du auch! Lerne von mir!

Freilich ist die Liebe nicht immer einfach. Gelegentlich kann sie auch mit Schmerzen verbunden sein, vor allem die Liebe mit ganzem Herzen, mit ganzer Seele, mit allen Kräften. Das wissen wir aus vielen Gedichten, Romanen, aus den Geschichten großer Liebender, auch aus eigenen Erlebnissen, wenn wir Liebe schon einmal gewagt haben. Wenn wir all das vergessen haben sollten, dann brauchen wir nur auf Jesus schauen, der wegen seiner Liebe gekreuzigt wurde. Aber seine Auferstehung zeigt, dass die Liebe stärker ist als der Tod.

P. Peter Hinsen

Der Zauber der Weihnacht – auch allein

So sehr hat Gott die Welt geliebt, dass er seinen eingeborenen Sohn als Retter gesandt hat. Den Armen verkündete er die Botschaft vom Heil, den Gefangenen Freiheit, den Trauernden Freude. Das feiern wir an Weihnachten, so beten wir es in einem der Hochgebete der Kirche. Was heißt das?

Gott liebt dich – viel zu viele fragen: Na und? Was habe ich davon? Wir haben eine ganze Menge davon, dass Gott die Welt nicht verloren gibt und sich selbst überlässt. Wir haben eine ganze Menge davon, dass Gott die Welt nicht in die Hände des Menschen fallen lässt, in die Hände von Alleskönnern und Besserwissern, in die Hände von Machthabern und Diktatoren. In Jesus Christus hat er uns gezeigt, dass es auch anders geht. In Gottes Namen und Auftrag können wir Menschen sein, die sich einander nicht übervorteilen müssen, weil sie keine Angst haben, zu kurz zu kommen. Mach's wie Gott, werde Mensch. Gott liebt dich. Es tut gut, das gesagt zu bekommen. Es gibt einen Gott, der dich mit Augen der Liebe ansieht. Du bist gesehen mit all dem, was dein Leben ausmacht. Gott lässt uns nicht allein. Gott lässt uns nicht im Stich, auch wenn es manchmal schwerfällt, daran zu glauben und darauf zu vertrauen.

Wir feiern Gottes Liebe – alle Jahre wieder

Immerhin feiern wir jedes Jahr an Weihnachten: „Alle Jahre wieder kommt das Christuskind auf die Erde nieder, wo wir Menschen sind. Kehrt mit seinem Segen ein in jedes Haus, geht auf allen Wegen mit uns ein und aus. Steht auch mir zur Seite, still und unerkannt, dass es treu mich leite an der lieben Hand.“ So singen wir es in einem unserer Weihnachtslieder.

Gott liebt dich. Können wir uns auch selbst lieben, so wie wir sind? Mit unseren Grenzen, mit unseren Fehlern und Schwächen, mit unserer Lebensgeschichte? An Weihnachten machen wir einander Geschenke, um uns zu zeigen, was wir uns bedeuten. Vor allem macht es uns froh und glücklich, wenn wir Kinderaugen zum Leuchten bringen können. Gerne erinnern wir uns zurück an Weihnachten, als wir selbst noch Kind waren. Die Spannung an Heiligabend. Der gemeinsame Besuch der Christmette. Das festlich geschmückte

Wohnzimmer. Gedichte wurden aufgesagt und Weihnachtslieder gesungen. Dann endlich die Bescherung.

Etwas von dem Zauber der Weihnacht wollen wir uns erhalten. Wir wünschen ein frohes Fest und hoffen, dass es auch dieses Jahr wieder ein schönes Fest wird, trotz aller Schwierigkeiten und Probleme. Gerade an Weihnachten überfordern sich Menschen. Zu hoch sind die Erwartungen, die wir zum Fest aneinander haben. Für die meisten ist Weihnachten das schönste Fest im Jahr, für manch einen aber auch das schlimmste. In diesem Jahr ist es für viele besonders schlimm, weil die nächste Zukunft nichts Gutes verheißt. Wie sollen sie bezahlen können, was sie zum Leben brauchen?

Allein, aber nicht einsam

Was ist, wenn ich Weihnachten allein verbringen muss? Weil es sich einfach nicht anders ergeben hat? Weil ich zu krank oder zu gebrechlich bin, um mit anderen zusammen sein zu können? Weil meine Ehefrau oder mein Ehemann gestorben ist? Weil mich meine Partnerin oder mein Partner verlassen hat und ich frisch geschieden bin? Weil ich zu wenig Geld habe, um irgendwo hin fahren zu können?

Da sitze ich nun in meiner kleinen und kalten Wohnung. Vielleicht muss ich sogar auf der Straße leben. Von draußen kann ich durch die Fenster erkennen, wie Menschen Weihnachten feiern. Ich aber bin allein und fühle mich außen vor gelassen. Es ist nicht gut, Weihnachten allein zu sein und es tut nicht gut, Weihnachten allein verbringen zu müssen. Es gibt Schöneres.

Allein zu sein muss aber nicht bedeuten, einsam zu sein oder vereinsamt. Allein zu sein bedeutet, das Fest nicht in Gemeinschaft zu verbringen. Einsam bin ich aber nur dann, wenn ich mich allein gelassen fühle und ausgeschlossen. Alle anderen haben ein schönes Fest, nur ich nicht. Auch wenn ich allein bin, muss es dann so sein, dass ich kein schönes Fest haben kann? Weihnachten allein, wie halte ich das aus? Wie halte ich mich aus? Welches Geschenk kann ich mir machen, um nicht einsam zu sein? Was kann ich tun, damit Weihnachten ein Fest wird, an dem ich weihnachtlichen Frieden finden kann und Freude? Was kann ich mir Weihnachten zum Geschenk machen, um nicht einsam zu sein?

Ich muss nicht nur für die anderen sorgen und jetzt, wo ich allein bin, brauche ich es auch nicht. Ich tue mir Gutes, weil ich es mir wert bin. Ich sorge dafür, dass mein Zimmer wenigsten ein bisschen weihnachtlich geschmückt ist. Ich entzünde Kerzen. Kerzenlicht schafft Atmosphäre. Es müssen keine Wachskerzen sein. Das ist zu gefährlich. Ich kann an einem weihnachtlichen Gottesdienst im Fernsehen teilnehmen. Ich kann mich in Gedanken und im Gebet mit denen solidarisch verbinden, die es in diesen Tagen noch schwerer haben als sonst, mit den Kranken, mit den Obdachlosen, mit den Menschen in den Kriegs- und Krisengebieten dieser Erde.

Weihnachten allein. Manchmal ist es nicht zu ändern. Dennoch kann es Weihnachten werden für alle, die allein sind und allein sein müssen. Ein Wort, das unter anderem Thomas Morus zugeschrieben wird, aber vermutlich auf Reinhold Niebuhr zurückgeht, baut auf. Als Gebet um Gelassenheit ist es vielen Menschen vertraut: „Herr, gib mir Gelassenheit, Dinge hinzunehmen, die ich nicht ändern kann. Gib mir den Mut, Dinge zu ändern, die ich zu ändern vermag. Und gib mir, Gott, die Weisheit, das eine vom anderen zu unterscheiden."

P. Heinz-Willi Rivert

Flügelschlag

20

lass mich in deinem atem schaukeln
mitten im eis erblüht eine rose
das licht macht sich allmählich breit
noch trägt das brüchige himmelweit

die liebe säuselt einen weg zu dir frei
ich säe voller hoffnung in den beton
für die gnade ist es immer rechte zeit
wir blühen alle tage einander zu

durch die dichteste leere hindurch
fädelt sich mit einem flügelschlag
das göttliche in menschengestalt
als segen in unsere heillose welt

Michael Lehmler

„Wir sind alle verpflichtet, uns gegenseitig zu helfen, den Himmel zu gewinnen."

Vinzenz Pallotti

Engel auf unserem Weg

In dem Buch „Josiahs Stimme: Ein stummer Junge erzählt vom Himmel“ von Tahni Cullen berichtet der neunjährige Josiah von seinen Erfahrungen „im Himmel“. Das Kind ist autistisch und stumm, aber eines Tages fängt Josiah an, ganze Sätze auf einem Tablet zu tippen, obwohl er nie richtig lesen und schreiben gelernt hat.

Es sind Texte voll Weisheit und Poesie. Einige befassen sich auch mit Engeln, die Josiah „sieht“. Sie haben alle einen besonderen Namen. Josiah erklärt, dass jeder Mensch einen persönlichen Schutzengel hat. Diese Aussage ist umso überraschender, als Josiahs Eltern tiefgläubige Protestanten sind, die einer Freikirche angehören. In deren Theologie haben Schutzengel nichts zu suchen.

22

„Dass es geistige, körperlose Wesen gibt, die von der Heiligen Schrift für gewöhnlich Engel genannt werden, ist eine Glaubenswahrheit. Das bezeugt die Schrift ebenso klar wie die Einmütigkeit der Überlieferung“, so steht es im katholischen Katechismus. Und weiter heißt es: „Die Kirche verehrt die Engel, die der Kirche auf ihrem irdischen Pilgerweg beistehen und jeden Menschen beschützen.“

Meine Oma hatte mich ein Schutzengelgebet gelehrt, als ich noch nicht einmal ein Schulkind war. Es war mir lange Zeit sehr wichtig. Irgendwann verlor ich die Beziehung zu meinem Schutzengel. Engel waren nur für Weihnachten zuständig.

Wer ist denn aber unser Engel? Einer, den Gott eigens für uns persönlich an unsere Seite schickt? Ich kann es nicht so eins zu eins glauben. Aber in furchtbaren Situationen haben wir immer einen „göttlichen Tröster“ bei uns, sei es eine der drei Personen Gottes, sei es ein unsichtbares Wesen, sei es…?

„Diese Großmutter hat Ihnen das Leben gerettet.“

Mein Leben war zu keiner Zeit ein Spaziergang über eine Blumenwiese. Ich hatte eine schwere Kindheit. Die Schatten dieser Zeit reichen bis heute. Und doch gab es für mich immer einen „Engel“, der mir das Leben erträglich machte. Als Säugling zog mich meine Oma auf, bis ich drei Jahre alt war. Sie ist der leuchtende Engel meines Lebens. Ihre Liebe, Zärtlichkeit und Feinfühligkeit haben mich getragen. Einmal sagte jemand zu mir: „Diese Großmutter hat Ihnen das Leben gerettet.“

In meiner Kindheit und Jugend gab es immer wieder „Engel“. Oft waren es Freunde. Ich war nie sonderlich beliebt, aber ich hatte immer Freunde. In der Grundschule, im Gymnasium, an der Uni und auch später. Wohin ich auch kam, egal wie traumatisch die Situation, wie kompliziert die Umstände: Stets stand mir mindestens ein „Engel“ zur Seite. Ich hatte immer gute Freundinnen. Freundinnen, die mich ermutigten, die für mich beteten, mit denen ich viel Spaß hatte.

Ein ganz besonderer Engel ist meine Freundin Karin. Unsere Beziehung ist derart, dass wir nicht immer zusammenglucken müssen, sondern miteinander durch WhatsApp oder Telefon verbunden sind. Als es mir neulich ganz schlecht ging, schickte sie mir spontan ein tröstliches Buch. „Du brauchst nicht meinen Besuch, sondern dieses Buch!“ sagte sie. Oder Edith. Sie kommt immer „passend“ mit selbstgebackenen Kuchen. Und viele andere! Ich hatte auch mal einen Engel-Freund: er war mein Ausbilder im Hundeverein. Er war schon sehr alt, hatte Fehler und Runzeln, aber ein feiner Mensch, der mich sehr unterstützte. Auch menschlich. „Du bist etwas Besonderes“, sagte er einmal zu mir, ich wusste, dass er es ganz aufrichtig meinte.

Vera Novelli

In deiner Liebe

23

ich springe
in deine güte

ich lebe
in deinem atem

ich tanze
mit deinen sternen

ich verliere mich
in den welten

ich suche
in den nächten

ich finde mich
in deinem herzen

ich wohne
in deiner liebe

Michael Lehmler

24

Die Krippe gehört einfach dazu

Wer an Weihnachten eine lebende Krippe aufsucht, weiß, dass der Duft von Weihnachten noch ganz anders sein kann, als der von Zimt und Tannennadeln: Heu, Stroh und Esel geben eine ganz spezielle Mischung, die uns darauf hinweisen kann, dass Jesus in die Niederungen der Welt hinabgestiegen ist. Die Krippe im Wohnzimmer erinnert uns daran.

„Dass Bilder noch besser als Texte zur Andacht führen“, das sagten im Mittelalter schon die berühmten Theologen Thomas von Aquin (Dominikaner) und Bonaventura (Franziskaner). Das ist der Hintergrund, warum seit den frühen Zeiten des Christentums biblische Szenen nicht allein mit Worten verkündet, sondern auch gemalt werden. Nach der Ära der Katakomben, wo es erste biblische Darstellungen gibt, geschieht das in der Buchmalerei, dann kommt die Wandmalerei, dann die Ölgemälde. Immer will man nicht allein eine biblische Szene darstellen; zugleich soll auch eine Botschaft vermittelt werden.

Solche Bilder haben immer auch den Sinn, biblische Ereignisse in die eigene Lebenswelt zu holen. Schon seit dem 2. Jahrhundert ist bekannt, dass Pilger die Geburtsstätte Jesu in Betlehem aufsuchten und verehrten. Verkündigung durch Worte und Bilder will sagen: Die Geburt Jesu ist nicht ein Ereignis in der Ferne, das hat etwas mit dir und deinem Leben zu tun. Also vermittelt Verkündigung und Kunst auch sofort, dass da nicht irgendein besonders begabter Mensch geboren wurde, sondern der Christus, der Messias, der Sohn Gottes.

Als Tisch des Brotes

Berühmt ist in diesem Zusammenhang das Evangeliar aus dem Kloster Lorsch aus dem frühen 9. Jahrhundert. Die Buchdeckel sind aus Elfenbein gearbeitet und zeigen auch die Geburt von Betlehem. Interessant, dass die Krippe nicht als eine Art Trog zu sehen ist, sondern wie ein Tisch gestaltet ist. Will heißen: dieses neu geborene Kind ist das Brot des Lebens (vgl. Joh 6,51).

In der altchristlichen Kunst und auf den Ikonen der orthodoxen Kirche steht oft Maria im Mittelpunkt. Sie liegt (von der Geburt ermüdet) da und über ihr das Kind. Die Botschaft: Gott ist wirklich Mensch geworden. Wenn Josef überhaupt vorkommt, dann wird er oft so dargestellt, dass er den Kopf in die Hand stützt. Die einen sagen, das sei ein Bild für sein Alter, also ein Hinweis darauf, dass die Jungfräulichkeit Marias nicht infrage gestellt ist. Die anderen sagen, das sei ein Bild des Zweifelns. Denn schon immer haben Menschen an der Gottheit Jesu Christi gezweifelt.

In vielen Weihnachtsdarstellungen stehen dafür auch die beiden Mägde Zelomi und Salome. Sie sollen angeblich Maria bei der Geburt geholfen haben. Man konnte oder wollte sich eine arme Geburt im Stall oder einer Grotte nicht vorstellen, Die Legende erzählt, dass eine der beiden Ammen ihre Hand im heißen Wasser, das für die Geburt vorbereitet worden war, verbrühte. Das Neugeborene fuhr sofort über die Hand und heilte sie. Die Botschaft: das Kind ist der Christus, der Heiland, der Sohn Gottes.

Von Greccio nach Prag

Oft sagt man, der Heilige Franz von Assisi habe die Weihnachtskrippe „erfunden“, als er 1223 in Greccio zu Weihnachten die Idee hatte, die Geburtsszene mit Menschen und Tieren in einer Grotte darzustellen. Ob das Ideengeber war für geschnitzte Krippenfiguren? Es handelte sich wohl eher um eine Art Krippenspiel.

Nachweislich die erste Darstellung der Betlehem-Szene mit mannshohen Figuren nördlich der Alpen gab es 1562 in der St.-Klemens-Kirche in Prag. Das gefiel den Leuten und war gerade in der Zeit der Katholischen Reform nach dem Konzil von Trient (1545 – 1563) ein beliebtes Mittel, das religiöse Leben der Getauften zu beseelen. In München und Innsbruck sind 1607 Krippen nachgewiesen; auf dem Nonnberg in Salzburg stand 1615 die erste Krippe.

Warum auch immer, verboten Maria Theresia, Josef II. und selbst Erzbischof Coloredo-Mannsfeld von Salzburg große Krippen in Kirchenräumen. Die Leute wollten sich das aber nicht nehmen lassen; und so zog – vereinfacht gesagt – die Krippe ins einfache Wohnzimmer. Dort brauchte man auch keine großen Aufbauten. Im Alpenraum wurde gerne geschnitzt. Wer sich das nicht leisten konnte, begnügte sich mit Ton oder Pappmaché. Bevor im 19. Jahrhundert der Christbaum zum Muss weihnachtlicher Dekoration wurde, bestimmte – zumindest in katholischen Familien – die Krippe Bild und Atmosphäre des Weihnachtsfestkreises in der heimischen Wohnung. In Schlesien gab es eine Ausnahme. Dort liebten es als einzige evangelische Gruppierung die Herrnhuter Brüder, eine Krippe in den Gottesdienst einzubeziehen.

Manchmal muss man das Jesuskind suchen

Krippen sind bis heute – und heute wieder – sehr beliebt. In allen möglichen Variationen. In den vielen Krippen-Museen und -Ausstellungen kann man das gut sehen. Da gibt es die ganz einfachen mit Jesus-Maria-Josef und die ganz ausgestalteten Weihnachtskrippen in wunderbaren Landschaften, wo sogar der Wasserfall rauscht und ein Sägewerk arbeitet (Stichwort: Mechanische Krippe). Die Neapolitanische Krippe hat es zu besonderer Vollendung gebracht. Hier – so scheint es – wird das Jesuskind manchmal zur Nebensache. Man muss es regelrecht suchen in dem quirligen Treiben auf dem Markt von Reisenden, Handwerkern und Händlern. Erst recht, wenn sich zum 6. Januar die Heiligen Drei Könige mit ihrem Gefolge dazu gesellen. Da kommt der Duft der großen weiten Welt nach Betlehem, in die Kirche, in das Wohnzimmer, das sich eine solch neapolitanische Krippe leisten kann. Eine andere Aura bietet die Orientalische Krippe. Da versucht man, das Ereignis der Geburt Jesu wirklich im Orient stattfinden zu lassen.

Wie auch immer, in unseren Breiten hat sich die Art alpenländischer Krippen in den Wohnzimmern durchgesetzt. Das behagt den Menschen zur Weihnacht.

P. Alexander Holzbach

Dieser Titel ist auch als eBook erhältlich
ISBN 978-3-87614-153-4

Sie finden uns im Internet unter www.pallotti-verlag.de

Bildnachweis: picture alliance / Alois Litzlbauer (Titel), Thomas Warnack (Titelseite innen), P. Rainer Schneiders (S. 3), Vera Novelli (S. 4), Wilfried Bahnmüller), (S. 8, 11, 30, 44, 49, 54, 63) Rudolf Baier (S. 12, 33, 37), Adobe Stock (S. 15, 18, 22, 25, 26, 34, 40, 43, 57, 58), ben white/unsplash (S. 21), Ellen Dietrich (S. 29), Werner Enders (S. 52)

Bibliografische Informationen der Deutschen Nationalbibliothek
Die Deutsche Nationalbibliothek verzeichnet diese Publikation in der Deutschen Nationalbibliografie; detaillierte bibliografische Daten sind im Internet über http://dnb.d-nb.de abrufbar.

Klimaneutral gedruckt auf umweltschonend produzierten Papier – ein kleiner Beitrag zur Bewahrung der Schöpfung

Printed in Germany

ISBN 978-3-87614-152-7 (Print)

Verlag: © Pallotti Verlag 2023
86316 Friedberg (Bay.)

Gesamtherstellung: FRIENDS Menschen Marken Medien
Zeuggasse 7–9, 86150 Augsburg
www.friends.ag